Le banc

tempo

ISBN : 978-2-74-851352-3
© Syros, 2013

SANDRINE KAO

Le banc

SYROS

1

«Oui, Sybille, j'aimerais que tu me laisses tranquille…»

Je me suis retenu de le lui dire. Pourtant, j'aurais voulu qu'elle parte de son côté et qu'elle me fiche la paix. J'avais besoin de marcher un peu seul et de réfléchir.

Son babil s'est arrêté. Sybille attendait ma réponse. Elle voyait bien que je ne prêtais qu'une oreille distraite à ce qu'elle me racontait, sa récente dispute avec Ness ne m'intéressait guère.

– Je t'embête avec mes histoires qui ne te concernent pas, n'est-ce pas? m'avait-elle demandé.

J'étais nerveux. Il y avait autre chose qui me préoccupait. Mais comme Sybille était gentille et que je ne voulais pas la fâcher, je l'ai rassurée :

– Mais non, tu ne m'ennuies pas, continue, je t'écoute.

Depuis que je suis externe, il m'arrive de faire un bout de chemin avec elle en allant déjeuner : elle habite tout près du parc dans lequel je m'arrête le midi pour manger. Ces derniers jours, elle recherche ma compagnie, surtout depuis sa brouille avec sa bande de copains. Je crois qu'elle m'aime bien parce qu'elle peut se confier à moi. Derrière nous justement, Ness, entourée de Joan et Phil, s'esclaffait si fort que ses éclats de rire couvraient le monologue de Sybille.

– Elle le fait exprès pour que j'entende qu'ils se payent ma tête, a marmonné Sybille, mécontente.

Moi aussi je sentais leurs regards derrière mon dos. Je ne les appréciais pas. Toujours à se croire plus malins que les autres. J'avais cette même impression qu'ils riaient de nous. De moi aussi, pas seulement de Sybille. Car depuis quelque temps, je soupçonnais tout le monde de vouloir se moquer de moi. Heureusement, ils allaient bifurquer à la prochaine intersection et je ne les entendrais plus.

Normalement, Sybille aussi tourne au croisement, mais cette fois, elle m'a emboîté le pas dans l'allée du parc. Elle a continué à parler, l'air de rien. Je l'ai interrompue : hors de question qu'elle me suive.

– Sybille, tu ne vas pas par là, d'habitude?

Je lui ai désigné la rue dans laquelle s'engageait le groupe derrière nous.

– Non, je vais passer par le parc avec toi, m'a-t-elle répondu. Je ne veux pas marcher devant les autres et je suis aussi vite arrivée chez moi par ce chemin. Ça ne te dérange pas?

J'ai dodeliné de la tête... Libre à elle d'interpréter mes mouvements comme un non si elle le souhaitait ; en vérité, je n'avais aucune envie qu'elle m'accompagne. Le soir, ça ne m'aurait pas contrarié : on aurait marché au milieu des arbres, on se serait quittés au bout de la promenade, elle partant à droite pour se rendre chez elle, et moi à gauche, le long de la grande avenue qui mène à mon quartier. Mais là, je n'avais pas prévu de rentrer chez moi. Chez moi, c'est loin, à près de vingt-cinq minutes à pied, et comme on n'a souvent qu'une heure pour manger, je ne rentre pas, je m'assois sur un banc et je déjeune dans le parc. Et j'ai d'autres chats à fouetter que d'avoir Sybille dans les pattes.

J'étais tendu.

Plus on s'approchait du banc sur lequel je mangeais d'habitude, plus ma nervosité augmentait : je l'apercevais à présent ; il était tout près et je plissais les yeux pour mieux le discerner. Le bavardage de Sybille m'importunait et j'avais du mal à cacher mon irritation. Elle a eu l'air de s'en rendre compte.

– Qu'est-ce qu'il t'arrive ?

Dans ma tête, tout s'embrouillait, je ne savais pas quoi lui dire ni comment lui expliquer, et ma méfiance reprenait le dessus. Et si c'était elle ? Elle habitait juste à côté du parc et pouvait y venir à tout instant. Elle savait déjà sûrement que je mangeais à cet endroit et que je ne rentrais pas chez moi.

Alors, sans crier gare, je l'ai attrapée par le bras et l'ai entraînée vers mon banc.

Elle ne parlait plus à présent : elle semblait interloquée et, en même temps, ses joues étaient devenues toutes rouges. L'espace d'un instant, je l'ai trouvée jolie et j'ai compris que mon geste pouvait être mal interprété si je ne lui en expliquais pas tout de suite la cause. Je n'en ai pas eu le temps : nous étions devant le banc et je l'ai vue, cette nouvelle inscription, écrite au Tipp-Ex. Je l'ai désignée à Sybille, mais ses yeux regardaient déjà dans sa direction. Sur ce banc, on pouvait lire, fraîchement écrit :

Alex bol de riz

Alex, c'est moi. Je suis d'origine asiatique. Et ça ne fait pas plaisir de se faire insulter de cette manière-là.

2

J'ai ri jaune – en voilà une expression qui me collait bien à la peau !

Je ne savais pas qui avait écrit ça. Mais ce n'était pas par hasard que l'inscription s'était retrouvée là.

Oui, c'est courant que l'on se moque de moi et de mes traits typés d'Asiatique. Il arrive que des inconnus me ricanent au nez en me traitant de «chinetoque» dans la rue, sans même connaître mes origines. Ou bien ils tirent le coin de leurs yeux, prennent un accent idiot en ânonnant des «ching, chang, chong». Je les laisse dire, ce ne sont que des abrutis qui s'ennuient. En même temps, avec tout ce qu'on entend aux infos, comment pourrait-on avoir une bonne image des Chinois? On dit sans cesse qu'à cause d'eux les entreprises sont délocalisées, qu'ils ne respectent pas les droits de l'homme, ne protègent pas l'environnement, qu'ils s'enrichissent dans le commerce et sont trop nombreux... Ça fait peur. Pourtant, la plupart n'y sont pour rien, victimes d'un gouvernement qui encourage la productivité à tout prix, sans se soucier des inégalités. Et puis, on oublie que les pays occidentaux eux aussi sont passés par là pour se développer. Que la recherche effrénée du profit a souvent de lourdes conséquences, quel que soit le pays.

Au collège, j'ai droit à d'autres sobriquets. Il y a ceux qui m'appellent le «noiche». Dans ce cas, je me contente de hausser les épaules : je n'aime pas ça, mais c'est passé dans le langage courant. Certains encore me surnomment Bruce Lee, Jacky Chan ou Jet Li. Parfois, c'est même affectueux...

En revanche, qu'on écrive quelque chose d'aussi ridicule que *Alex bol de riz* sur un banc public et qu'on le fasse anonymement, je trouvais ça assez lâche. Sans compter que l'auteur de cette

insulte m'espionnait, puisqu'il savait que je vien-
drais sur ce banc et que je pourrais la lire.

Et ce n'était pas la première fois ! Hier déjà, il
était écrit :

Alex tronche de nem

En découvrant l'inscription le midi, je m'étais
empressé de sortir mes ciseaux de ma trousse et
d'effacer les lettres blanches. Je m'étais senti un
peu mieux une fois cette partie du banc grattée,
décapée, mais je n'avais pas réussi à manger mon
tupper de riz. J'imaginais la personne cachée
derrière un buisson en train d'observer ma réaction
et de glousser. Mais non, je n'avais rien vu bouger
autour de moi, alors j'étais reparti au collège l'estomac noué. J'avais voulu me comporter comme si
cela ne m'avait pas affecté. J'avais fait semblant
d'être content, j'avais rigolé plus fort que d'habitude, exprès. En fait, j'avais guetté les réactions
de tous ceux de ma classe, convaincu que c'était
sûrement l'un d'eux le responsable.

J'étais si suspicieux que j'avais même passé au
crible mon pote Bobo ; pourtant, je savais que
ça ne pouvait pas être lui. Je ne lui avais même
pas confié que je mangeais sur ce banc le midi.

Mais lui, il sait que je ne suis pas du Vietnam – ben oui, les nems viennent plutôt de ce pays-là. Les gens, ils ne font pas la différence entre les Vietnamiens, les Laotiens, les Cambodgiens, les Chinois, les Japonais, les Coréens : pour eux, ce sont tous des «chinetoques». Ou des niakoués, des noiches, des bridés, des bols de riz, des bouffeurs de chiens... Alors, moi qui suis originaire de Taïwan, n'en parlons pas! Personne n'est capable de dire où ça se trouve ni ce que c'est. Quand mes copains m'ont interrogé la première fois sur mes origines et que j'ai mentionné ce pays, voilà les réponses que j'ai eues :

– Ah, t'es de Thaïlande! a répliqué Yann.

– Ben non, ducon, si je venais de Thaïlande, j'aurais dit Thaïlande, ce n'est pas parce que le nom commence par le même son que c'est le même pays!

– Ah oui, Taïwan comme *made in Taïwan*! C'est là qu'ils fabriquaient des trucs de mauvaise qualité dans les années 1990. Maintenant, ils se spécialisent dans les composants électroniques.

Cette réponse-là, c'était celle de Mehdi, notre *geek*, toujours fourré devant son ordinateur et branché sur la Toile pour se dégoter le matériel informatique dernier cri.

– Taïwan ? Oui, de Chine quoi ! C'est l'île rebelle !

C'est Bobo qui avait dit ça. Au moins, géographiquement il ne s'en sortait pas mal. Mais politiquement... Bref, c'est une autre histoire, et on en a eu, par la suite, des débats sur l'indépendance ou pas de Taïwan envers la Chine !

Enfin, tout ça pour dire que *tronche de nem*, c'était très mal choisi. *Bol de riz*, ce n'était pas mieux. Donc, devant Sybille, je me suis forcé à rire, mais elle, elle était livide et ne savait pas comment réagir :

– Oh, c'est stupide, a-t-elle finalement dit. Qui a pu écrire ça ? Tu penses que c'est à toi qu'on en veut ?

À voir la tête de Sybille, j'ai arrêté de ricaner.

Oui, sur ce banc, on pouvait aussi lire un *nique la police* au marqueur noir, un *J + M = A* dans un cœur gravé dans le bois, un *la cité du parc en force* peint à la bombe. Tout ça, on le voyait couramment. Mais *Alex bol de riz*, c'était différent : impossible de douter qu'on me visait délibérément.

Comment avais-je pu croire un instant Sybille coupable ? Je l'imaginais très mal s'amuser à ce genre de bêtises. Je m'étais comporté comme un imbécile en l'entraînant avec moi devant ce banc. J'aurais mieux fait de continuer à marcher comme si de rien n'était jusqu'à la sortie du parc et rebrousser ensuite chemin pour regagner mon banc. Maintenant, j'étais obligé d'avouer :

– Oui, c'est moi qu'on insulte. Parce que, le midi, je mange ici, sur ce banc. Et que, hier, il y avait déjà une autre injure. Si je l'attrape, celui qui s'amuse à écrire ces grossièretés, il va passer un sale quart d'heure !

3

J'ai sorti ma paire de ciseaux, m'apprêtant à gratter la pellicule de blanc pour faire disparaître l'inscription, mais Sybille a retenu mon bras :

– Attends, a-t-elle dit, si tu l'effaces, quelqu'un reviendra écrire autre chose. Faut que tu fasses comme si tu t'en fichais, si tu la laisses, personne ne recommencera.

J'avais tout de même envie de l'effacer.

– Bon, OK, pièce à conviction numéro un, a fait Sybille.

Elle a sorti son téléphone de sa poche et a photographié l'insulte sur le banc.

– Maintenant, tu peux l'effacer si tu veux. On a la preuve et la copie de l'écriture. Mais oui, a-t-elle continué avec un sourire devant mon air étonné, on va mener l'enquête! Reste là, je reviens dans une petite demi-heure, le temps de rentrer manger, et on en reparle. Tu veux bien?

J'ai hoché la tête et je l'ai regardée traverser le parc pour se diriger vers les immeubles juste à la sortie. Je me suis assis sur mon banc. J'ai soupiré. J'ai gratté l'inscription. Et puis j'ai sorti mon tupper, où ma mère m'avait mis mon repas.

«Chouette, des raviolis!» me suis-je dit en ouvrant la boîte.

C'étaient des raviolis chinois, la spécialité de ma mère. Un jour, comme ça, sans prévenir, elle s'écriait d'un coup:

– Alexandre, je mangerais bien des raviolis, on en fait?

Et là, on en préparait une quantité astronomique. On réalise la pâte nous-mêmes, ça coûte moins cher, avec de la farine et de l'eau. Puis on s'attaque à la farce: viande de porc hachée, oignons, champignons noirs, et puis tout ce qui nous tombe sous la main en fonction de ce qu'il reste dans le frigo. On assaisonne, on façonne les raviolis. Après la cuisson, on ajoute un peu de sauce soja et c'est délicieux. Ceux qui se trouvaient dans ma boîte, on les avait faits quinze jours plus tôt ; ma mère les avait sortis du congélateur et réchauffés ce matin. Ils étaient un tout petit peu tièdes encore et arrosés de sauce. Voilà ce qu'il me fallait pour oublier les insultes sur le banc. La cuisine, c'est bien la seule chose que j'aime dans mes origines !

Pour le reste, j'aurais préféré être comme tout le monde et qu'on ne me remarque pas. Je n'aime pas du tout la petite communauté d'Asiatiques de mon quartier. À vrai dire, elle me fait un peu honte. Ma mère et moi, on évite de s'y mêler. D'autant plus qu'on y est méprisés. C'est une de nos voisines, madame Huang, qui fait la pluie et le beau temps parmi nous. Une vraie commère qui colporte tous les ragots : monsieur Chen est un peu trop porté sur l'alcool de riz, il injurie sa femme les soirs de beuverie ; madame Li a quitté son mari pour un Français ; le restaurant de monsieur Vuong a fait faillite ; et les enfants de madame Ling, si doués en musique, ont raté le concours d'entrée au Conservatoire de Paris.

Nous, on se fait les plus discrets possible. Madame Huang ne nous apprécie pas : maman ne met pas de fleurs sur notre balcon, et notre palier n'est pas très bien entretenu. Elle devine à nos tenues que nous ne roulons pas sur l'or et elle sait que ma mère ne travaille pas dans le commerce, qu'elle n'est pas bien payée du tout en tant que traductrice.

Il n'y a qu'avec madame Chen et madame Ling que ma mère s'entende. Ce sont des personnes généreuses, arrivées en France à la même période que mes parents, et elles n'hésitent pas à nous aider si besoin. Elles viennent souvent prendre le thé. Lorsqu'elles se retrouvent ensemble, les trois femmes se consolent mutuellement des médisances de leur voisine. Car on sait bien ce que madame Huang dit sur notre famille, avec mon père absent. Parce qu'il est parti, mon père. Il vit à Taïwan. Il travaille là-bas maintenant. Sinon, en France, il était au chômage. Et c'est humiliant pour un Asiatique de ne pas réussir à gagner sa vie ici. Alors, il a préféré repartir en nous laissant. Au début, ce devait être une situation provisoire, il faisait des allers-retours réguliers entre Taïwan et la France. Il était même question qu'on reparte tous les trois vivre sur l'île. Et puis, la distance a fait qu'il est revenu moins souvent pour finalement ne plus rentrer du tout.

Je n'aime pas cette mentalité – mon père ne serait peut-être pas parti sans cela : toujours montrer des signes de réussite, sous peine d'être considérés comme des ratés. Or, le moins qu'on puisse dire, c'est que nous n'avons pas de quoi gagner l'estime de notre communauté. La preuve, si je mange dans ce parc, c'est qu'on est fauchés. J'aurais pu rentrer chez moi en bus, cela m'aurait pris dix minutes au lieu de vingt-cinq. Mais c'est bien plus économique d'aller à pied que d'avoir un abonnement pour les transports, et la solution tupperware maison est bien moins onéreuse que la cantine le midi.

Alors, je suis resté là, une fois mon tupper vide. J'ai attendu Sybille, bien caché sur mon banc entre les arbres du parc, en espérant que personne ne me verrait.

*M*on père, quand il rentre, je n'ai qu'une hâte : c'est qu'il ouvre ses valises. Elles sont pleines de choses extraordinaires. Je suis impatient de les découvrir.

On revient de l'aéroport. Il est encore tôt le matin : j'ai faim, je n'ai pas mangé mon petit déjeuner. Papa me serre dans ses bras, m'ébouriffe les cheveux, murmure un «Ça va?» et me laisse pour s'occuper de ses valises. Il sent le thé, l'humidité, les épices et un peu la mer salée, les montagnes vertes et les fruits sucrés.

Les bagages s'affalent au sol comme s'ils étaient eux aussi fatigués du voyage.

Papa ouvre sa plus grande valise. Il en sort des paquets de toutes les couleurs, des verts, des roses, des violets… Il y a différentes variétés de gâteaux et de spécialités : des petites pâtisseries feuilletées fourrées de pâte de soja, de haricots rouges ou de cacahuètes, des petites boules de riz gluant délicieuses appelées «mochi», des gâteaux d'ananas, des nougats enveloppés de papier de riz.

Je tâte, je palpe tous ces emballages, je les défais. Les papiers crissent, se froissent. Je dévore les gâteaux, je me régale.

Mon père m'a aussi rapporté des cadeaux : des petites figurines, des stylos qui font toupie, des crayons de couleur qui s'assemblent comme des Lego, des oiseaux mécaniques qui battent des ailes. Certains objets restent muets. Qu'est-ce que c'est que cet engin avec des plumes ? Et ce bout de bois en forme d'hélice ? Comment on joue avec ?

Mais quand je retourne voir papa, il s'est endormi, épuisé par les heures de vol. La maison est redevenue silencieuse, tout comme mes jouets inconnus qui taisent leur règle du jeu.

4

Sybille est revenue au bout de vingt minutes, avec un toutou en laisse.

– Allez, Floppy, dis bonjour à Alex !

«Ouarf, ouarf», a aboyé le petit chien.

Elle s'est assise sur le banc, à côté de moi.

– D'habitude, c'est mon beau-père qui sort Floppy le soir, et ma mère le matin. Si je les remplace, peut-être que je pourrai savoir vers quelle heure notre bonhomme écrit ses bêtises. J'ai regardé depuis toutes les fenêtres de notre appartement, malheureusement, je ne vois pas le banc, mais dans le salon, j'ai une jolie vue sur la sortie du parc et sur un bout de l'allée principale. Tu veux bien que je t'aide à trouver le coupable ?

– Oui, c'est gentil, mais tu sais, je finirai bien par savoir qui c'est...

– Je pourrai toujours jeter un coup d'œil, on ne sait jamais, a-t-elle insisté. Et si j'ai du nouveau, je te dirai. À plus tard. Je ramène Floppy à la maison.

J'ai regardé Sybille s'éloigner. L'intérêt qu'elle me portait me flattait, mais quand même, j'hésitais à lui accorder ma confiance. Il y avait moins d'une heure, je n'étais pas spécialement content de marcher à côté d'elle ; elle n'allait pas devenir en si peu de temps ma confidente et partenaire d'enquête ! Je n'avais pas envie de devenir le meilleur ami de Sybille... D'autant plus que ses anciennes fréquentations ne me plaisaient guère.

Je me souvenais bien du sale tour que m'avaient joué Ness et ses deux comparses Joan et Phil. Ils avaient voulu me faire croire qu'Aude s'intéressait à moi. Aude, c'est une fille superbe, elle est jolie, blonde aux yeux bleus, elle a un côté un peu mystérieux et n'est pas du tout comme Ness. Elle ne médit pas des autres. Ils avaient dû s'apercevoir de mon attirance pour elle. Alors, ils étaient venus me dire, avec preuves à l'appui, que je lui plaisais bien. Ils m'avaient parlé de sa passion pour la culture japonaise, pour les mangas, pour les films asiatiques, et avaient voulu me faire gober que je lui rappelais ses beaux héros. Je savais qu'Aude aimait la culture asiatique, mais je n'étais pas si naïf : les connaissant, je me doutais bien qu'ils racontaient n'importe quoi.

Je suis pourtant loin de me trouver laid, bien au contraire : même en n'étant pas grand, en ayant les yeux bridés et la face aplatie, on peut être agréable à regarder. D'autant que tous les Asiatiques ne correspondent pas exactement à ces stéréotypes. Moi, je n'ai pas de complexes par rapport à mon physique, je ne me trouve pas mal fait.

Mais ces crétins de Joan et Phil n'en avaient pas fini avec moi. Ils avaient appelé Aude pour qu'elle vienne confirmer leurs dires et, évidemment, Aude avait tout nié d'un air outré :

– N'importe quoi, j'suis pas amoureuse d'Alex !

Elle, ça ne l'avait pas fait rire, mais Joan, Ness et Phil, si.

– Désolés, qu'ils m'avaient dit, on l'avait mal comprise !

C'est ça, oui...

Sybille n'avait pas été impliquée dans cette histoire. Je ne sais même pas si elle avait été mise dans la confidence. De toute façon, Sybille, alors qu'elle était encore amie avec Aude et Ness, avait toujours été laissée à l'écart. On la surnommait déjà «bouche-trou» ou «sainte-nitouche» sans qu'elle le sache. Finalement, peut-être que Sybille a simplement envie d'intégrer un autre groupe. Elle ne serait pas si mal, d'ailleurs, dans le nôtre. On rassemble tous les exclus de la classe : Yann, dont personne ne veut tellement il est repoussant à cause de l'acné qui lui couvre le visage ; Mehdi, complètement asocial, qui passe des heures plongé dans des codes html et php pour améliorer son site Internet de la mort qui tue. Il y a aussi Bobo, mon pote préféré. Bobo, ça n'est pas son prénom, il ne s'appelle même pas Boris, mais Pierre, Pierre Beaumont. Et il est plutôt beau. D'où Bobo. Il habite les quartiers huppés de la ville et ses parents sont pleins de fric. Les autres le détestent pour ça, alors qu'en fait il est loin d'être radin. Et je complète la bande, moi, Alex, le «noiche», bridé, jaune à souhait et fauché comme les blés.

Mes compagnons ne sont pas mieux traités que moi. De toute manière, qu'on soit étranger, gros, laid, boutonneux, ou même sans défaut visible, les gens trouvent toujours de quoi se moquer. Alors, avoir l'apparence d'un étranger, c'est comme une tare qu'on traîne avec soi, comme un gros bouton qui nous défigure le visage. Parfois, on l'oublie, mais les autres sont là pour nous le montrer du doigt.

5

De retour au collège, Sybille m'a discrètement tendu une feuille de papier.

– C'est pour l'écriture, m'a-t-elle expliqué.

Je n'ai pas tout de suite compris, mais elle m'a regardé d'un air entendu. On est allés rejoindre Bobo, Yann et Mehdi.

– Alors, ça a été ce midi à la cantine ? Pas trop dégueu ?

– Ben, des patates, a fait Yann, comme d'hab ! Rien de mieux pour se remplir la panse et faire une bonne sieste en maths !

– T'as pas intérêt à faire la sieste aujourd'hui, a répliqué Bobo, monsieur Roger fait la correction du contrôle et, s'il te voit roupiller, c'est toi qui passes au tableau.

La cloche a sonné la reprise des cours. On s'est installés dans la salle de mathématiques : le prof avait prévu de corriger le dernier devoir sur les équations, et son grand plaisir est de nous faire tous passer au tableau. Moi, j'adore les maths, alors l'épreuve du tableau ne me fait pas peur. J'ai jeté un coup d'œil autour de moi pour observer la tête des autres élèves et c'était à mourir de rire :

– Exercice numéro un, a commencé le professeur.

Des têtes se sont baissées, d'autres ont semblé implorer le ciel ou murmurer une petite prière pendant que monsieur Roger faisait glisser son doigt sur la liste des noms. Soudain, son doigt s'est arrêté et il a appelé :

– Aude !

Et là, pendant qu'Aude inscrivait au tableau une première équation, «soit $x + 3y - 2z = 0$», j'ai compris. Des «x» comme dans «Alex», des «z» comme dans «riz» : à chaque élève qui passerait, ce serait l'occasion de comparer son écriture avec celle du banc. Car le petit papier que m'avait glissé Sybille, c'était une impression noir et blanc de la photo qu'elle avait prise de l'insulte!

– Super, Sybille, j'ai murmuré tout doucement.

J'ai jeté un regard dans sa direction. Elle m'a souri, m'a adressé un clin d'œil au passage et s'est retournée face au tableau pour revenir à ses notes.

À la fin de la journée, Sybille et moi avons comparé nos observations. Celui qui avait écrit *Alex bol de riz* avait une écriture d'écolier, sa façon de faire ses «x» et ses «z» était particulière : un x dessiné avec deux boucles fermées comme le tracé des x majuscules qu'on nous apprenait en primaire, et un z avec boucle descendante. Personne n'avait répondu à ces critères. On avait pu barrer de notre liste de coupables potentiels sept noms : Aude, Yann, Phil, Bobo, Ness et ceux de deux autres personnes de la classe.

– En même temps, a fait remarquer Sybille, en maths, on doit tracer le «x» en lettre cursive pour ne pas le confondre avec le signe «multiplier». On a donc tendance à adapter notre graphie aux symboles mathématiques. Pas sûr que nos conclusions soient justes.

On a continué à débattre du problème et de la fiabilité de nos observations jusqu'au banc, où l'on a pu voir qu'aucune nouvelle inscription n'était apparue. Puis Sybille est partie à droite et moi à gauche. Elle m'a promis de surveiller la sortie du parc et d'aller y promener son chien pour l'avancement de l'enquête.

Elle est chouette, Sybille, tout de même...

Je rêvassais en chemin et j'en ai oublié ma prudence habituelle. Normalement, quand j'arrive près de chez moi, je surveille les voitures; car ma hantise, c'est de croiser la voisine, madame Huang, qui se fait toujours une joie de demander des nouvelles de mon père, qui insiste pour savoir quand il revient de Taïwan, et qui y va toujours de son petit commentaire désobligeant: «Comment ça se fait qu'il ne soit toujours pas rentré?» «Comment ça, vous ne savez pas quand il rentre?» Bref, le mieux, c'est de l'éviter. Mais malheureusement, elle était là. Elle venait de garer sa voiture et sortait des affaires de son coffre. Elle revenait des courses, sans doute. J'étais à découvert, je ne pouvais me dissimuler nulle part. Elle m'a vu. Et elle a fait exprès de ralentir son allure, de sortir tout doucement ses sacs. Tant pis, il allait falloir que je l'affronte. Au moment où je suis arrivé à sa hauteur, elle m'a dit, en chinois bien sûr :

– Ça va, Alexandre ? Ton papa, il rentre bientôt ?

6

Elle me saoulait, la voisine, à tout le temps me rebattre les oreilles avec mon père.

– Ouais, je lui ai dit, il va revenir.

Je suis resté évasif et me suis dépêché de rentrer dans l'immeuble.

– Il revient quand?

– En décembre, pour Noël, j'ai menti.

Et puis j'ai vite ajouté, pour détourner la conversation:

– Et vous, vous allez bien? Votre fille, ça va au collège?

Je savais que j'avais touché juste en parlant de sa fille. Elle était dans ma classe l'année précédente et elle avait bien des difficultés en cours. Leurs enfants sont la plus grande fierté des Asiatiques et, malheureusement pour elle, madame Huang en avait de tout à fait quelconques : ils obtenaient des notes tout juste passables, n'étaient pas spécialement doués dans la moindre activité artistique ni ne se distinguaient physiquement.

– Oui, ça va, a fait madame Huang en bougonnant.

Elle s'est retranchée dans son appartement, fâchée. Elle m'a quand même dit, avant de pousser sa porte :

– Et tu ferais bien de me répondre en chinois, tu vas oublier le mandarin en parlant toujours français. Ce n'est pas bien de renier sa culture !

Pff... N'importe quoi !

Et vlan ! Elle m'a claqué sa porte au nez.

Ça m'apprendrait à lui parler de ses enfants.

Madame Huang, la seule chose dont elle peut se vanter, c'est que ses gosses parlent et écrivent couramment le chinois. Ce qui n'est pas mon cas. Ça se perd vite, une langue. Pourtant, on nous répète que c'est important de savoir parler chinois, c'est un atout formidable pour notre vie professionnelle future : on est sûrs de trouver un boulot dans le commerce ou l'import-export. Le grand fils Huang, il suit des études de marketing dans une école privée, ce qui fait la fierté de sa mère. En même temps, il n'y a rien de gratifiant à cela, il suffisait d'allonger les sous pour l'y faire entrer. Mais elle clame partout que c'est parce qu'il sait parler chinois qu'on l'a admis, que c'est une grande richesse pour lui, cette double culture. Moi, je m'en fous de l'import-export. Pas du tout envie de travailler là-dedans.

Et puis la fille Huang, elle ne traîne qu'avec une bande d'Asiatiques ; parfois, ils font exprès de parler chinois entre eux pour que les autres ne les comprennent pas. Dans ce groupe, il n'y a que des Asiatiques fils de commerçants, d'entrepreneurs. Alors ils portent tous des fringues de luxe, ont le dernier gadget à la mode, les lunettes de star... et des cheveux décolorés ou teintés. Après, on dit que c'est moi qui rejette mes origines.

D'ailleurs, c'est la faute de mon père si je ne sais plus parler le chinois. Il n'avait qu'à rester ici. Avec lui, je parlais chinois puisqu'il ne comprenait pas bien le français. J'y étais obligé.

Mon père, lorsqu'il est parti, je n'avais même pas dix ans. Il m'a promis qu'on irait à Taïwan en vacances, dès qu'il aurait trouvé une bonne situation là-bas. En France, ça faisait plusieurs mois qu'il était au chômage. Il a très vite trouvé un emploi en retournant sur l'île. Mais on n'est pas allés le voir à Taïwan. Et lui revenait de moins en moins fréquemment.

D'habitude, à cette période de l'année, il nous écrit un courrier pour nous dire qu'il a pris ses billets d'avion. Il nous envoie en même temps de l'argent pour qu'on tienne jusqu'à son retour. Mais là, rien. On a beau lui avoir écrit de notre côté, pas de réponse. Pas une lettre, pas un mail, pas non plus un chèque de lui. Ma mère se dit qu'il lui est certainement arrivé quelque chose, et, puisqu'il est seul là-bas, personne n'a signalé sa disparition et nous n'avons pas été prévenus. Ou bien il a rencontré une autre femme et nous a abandonnés, ma mère et moi. Ou encore, cela fait déjà des années qu'il mène une existence parallèle, qu'il a une autre famille, alors il nous a définitivement rayés de sa vie.

Je lui ai pourtant demandé, à ma mère :

– Pourquoi on n'est pas rentrés tous ensemble à Taïwan? On n'aurait pas pu vivre là-bas tous les trois? On n'a pas de famille ici, en France, pas d'attache, qu'est-ce qui nous retient?

– Ça n'est pas si simple, Alexandre, je n'ai plus personne à Taïwan non plus, depuis que ta tante a émigré aux États-Unis. C'est une chance d'avoir pu rester en France, on ne va pas la gâcher en repartant. Et comment aurais-tu fait pour suivre les cours là-bas? Tu sais à peine lire et écrire le chinois. Tu aurais redoublé plusieurs niveaux. Et ta vie sera sans doute meilleure ici.

Je n'en suis pas persuadé. Ce que je pense, c'est que, de toute façon, mon père nous aurait quittés. Ça n'est pas son truc, la vie de famille. Maman le sait, ça ne l'a même pas étonnée qu'il parte, comme si elle s'y attendait. Pourtant, elle croit toujours qu'il finira par rentrer. Seulement, ça fait presque un an qu'on ne l'a plus vu et des mois qu'on n'a pas eu de ses nouvelles. Faut se rendre à l'évidence. Papa nous a abandonnés.

Ce n'est pas demain que je passerai des vacances à Taïwan...

Je suis sûr pourtant que j'aurais aimé la chaleur humide et étouffante de l'air, la saveur des fruits exotiques, les paysages de montagne, la mer et ses plages de sable gris bordées de palmiers et de cocotiers. Je m'imagine bien me fondre dans la foule, au milieu des passants qui déambulent devant les restaurants de rue, les magasins, ou dans les marchés de nuit. Je me serais immergé, semblable aux autres promeneurs. Je n'aurais plus été Alex le «noiche», mais un garçon asiatique parmi d'autres. J'aurais enfin été moi-même. Dommage.

7

— Alexandre, tu as vu ce qu'il s'est passé à Taïwan?

Ma mère venait de rentrer du boulot. Elle tenait dans sa main le magazine bilingue gratuit pour lequel elle travaille et que l'on trouve fréquemment dans les ménages asiatiques : plutôt que lu, le journal est très prisé comme emballage pour les denrées alimentaires. Ma mère se désole de voir des articles qui l'ont passionnée tout tachés de gras. C'est pourquoi elle-même n'emballe dedans que les légumes rapportés du marché, ou bien j'y mets des œufs durs pour le midi, mais pas de plats cuisinés.

Ce soir, le journal était resté entier : ma mère me l'a tendu pour que je lise l'article à la une.

– Il y a eu un typhon très violent à Taïwan, qui a entraîné des glissements de terrain. Il a touché la partie sud de l'île. J'ai essayé d'avoir davantage d'informations, mais je n'en sais pas plus.

Bien sûr, on a tout de suite pensé à mon père.

– Tu as essayé de l'appeler?

– Oui, mais apparemment les lignes téléphoniques sont coupées, je n'ai pas réussi à le joindre. En même temps, ça fait des mois qu'on n'arrive pas à le contacter, alors c'était pas aujourd'hui que j'allais l'avoir au bout du fil.

Ma mère a déposé ses affaires dans sa chambre et s'est dirigée vers la cuisine.

– Je fais quoi à manger? Des nouilles sautées, ça te va?

Ma mère s'est affairée devant la gazinière. Elle avait ce pli d'inquiétude au-dessus des sourcils que je lui connais bien et qui lui barre le front. Elle a relevé ses cheveux en chignon pour qu'ils ne tombent pas dans le wok, son tablier de cuisine était tout sale, mais maman était toujours aussi belle. Et fragile. On était tout de même un peu soucieux, mais surtout en colère après mon père. Des mois sans nouvelles, alors avec ce typhon, il aurait pu prendre la peine de nous contacter pour nous rassurer. Mais ça n'est pas son genre d'être attentionné, de penser à télé-phoner à sa famille. Certainement devait-il croire que nous n'étions pas au courant en France de ce qu'il se passait là-bas et que ce n'était donc pas la peine de nous alarmer pour rien. Il en est survenu, des typhons, à Taïwan, et même des tremblements de terre. Mon père habite un quar-tier en centre-ville. Son immeuble est construit aux normes sismiques, il y a tout dé même peu de risques qu'il s'effondre.

Je comprends qu'il soit bien mieux là-bas et qu'il ne veuille plus rentrer. Ici, on habite un immeuble pourri. L'appartement où on loge, il est moche et on le loue. Les papiers peints sont vieux et jaunis ; je déteste celui de ma chambre. La porte-fenêtre du salon s'ouvre toute seule quand il y a trop de vent. La cuisine est minuscule, on ne tient pas à deux dedans. Les robinets de la salle de bains fuient, on met des bassines dessous pour récupérer l'eau et arroser les plantes. Heureusement que les typhons ne sévissent pas ici, sinon, notre immeuble, lui, aurait du mal à tenir debout.

On a mangé nos nouilles silencieusement. Les informations tournaient en fond sonore dans le salon. Il y a eu tout de même une brève au sujet du typhon, accompagnée de quelques images de déluge et de coulées de boue, quelques images chocs en provenance d'une chaîne de télé taïwanaise, mais rien de plus. La région dans laquelle vit mon père a réellement été touchée. Ça ne lui coûterait rien de nous avertir.

Ma mère se mordait les lèvres. Elle semblait anxieuse. Moi, j'ai adopté une autre attitude. J'en voulais encore plus à mon père d'inquiéter ma mère en ne prenant même pas la peine de lui donner des nouvelles. Oui, un quart de seconde, je l'ai pensé : il pouvait vraiment être mort. On aurait eu une bonne raison de pleurer. On aurait pleuré une bonne fois pour toutes en se rappelant les bons souvenirs que l'on avait encore de lui et on serait passés à autre chose. Là, c'est quasiment tous les soirs que ma mère est rongée par le chagrin. Ne pas savoir, c'est être tenté d'imaginer n'importe quoi. Alors, les nuits où le moral n'est pas là, on envisage le pire. Et pour nous, le pire, ce n'est pas qu'il soit mort, mais qu'il nous abandonne, lâchement, et refasse sa vie sans plus se soucier de nous.

J'en voulais aussi un peu à ma mère. J'avais envie de la secouer. De lui dire : « Mais pourquoi crois-tu qu'il est parti ? Pourquoi l'as-tu laissé nous quitter ? On aurait pu tous retourner là-bas, ce sont toujours de fausses excuses que tu me donnes ! » Je me suis remémoré la dernière visite de mon père. Pas d'effusions entre eux. Rien. Ma mère n'avait même pas fait l'effort de s'apprêter délicatement, mon père ne l'avait pas embrassée. Ils étaient distants, de plus en plus, et mon père supportait mal les questions. De toute façon, dans leur couple, ça n'allait déjà plus. Alors, au lieu de profiter de ces moments où nous étions enfin réunis, nous restions silencieux, dialoguant à peine. Il m'ébouriffait les cheveux, se contentait de me sourire et de me rapporter un jouet. Un père comme ça, je n'en veux pas.

*J'*ai dix ans. Déjà trois mois que Papa est absent. Je ne comprends pas.

Je dis à ma mère :

– *Mais pourquoi tu l'as laissé partir ?*

Pour moi, c'est de sa faute. Elle ne l'a pas retenu. Elle n'a pas su l'aider, le rassurer. Alors, je m'énerve, je ne mange pas ce qu'elle me cuisine, je transforme en bouillie les pâtes blanches qu'elle m'a servies.

– *Ne fais pas ça, Alexandre, ce sont des pâtes de longévité. Plus elles sont longues, plus celui qui les a cuisinées vivra longtemps.*

– *Pff... c'est n'importe quoi,* je réponds.

Je continue à réduire en miettes les longues pâtes, à m'acharner dessus. Ma mère me gronde, me demande d'aller dans ma chambre puisque je ne veux pas manger.

– Non ! je crie. J'ai pas envie.

Alors ma mère fond en larmes. Elle pleure. Je ne l'ai encore jamais vue pleurer devant moi. Parfois, depuis que mon père est parti, je l'entends renifler la nuit. Mais devant moi, c'est la première fois. Et cette fois, c'est à cause de moi, pas de mon père.

Je reste interdit devant elle. Mes baguettes sont suspendues en l'air. Elles ne s'abattent plus sur les pâtes.

Pardon, maman. Je veux que tu vives longtemps.

8

Ce matin, j'avais à peine posé le pied dans le parc que je suis tombé nez à nez avec Sybille.

– Salut Alex! m'a-t-elle dit dans un grand sourire.

Je suis sûr qu'elle espionne à sa fenêtre et se précipite en bas de son immeuble dès qu'elle m'aperçoit, pour pouvoir marcher avec moi.

Sybille m'a raconté comment elle menait sa petite enquête. Il semblerait qu'elle piétine: la promenade de son chien la veille au soir n'a rien donné, aucune nouvelle inscription.

On a fait un petit détour par le banc pour vérifier qu'il n'y avait toujours rien d'écrit. Et rien, en effet.

– Mais à quelle heure vient-il? s'est interrogée Sybille. On est déjà presque en retard. Il a peut-être arrêté finalement...

– Ça se trouve, il a compris que tu t'étais mise à enquêter et il a eu peur!

– C'est ça, moque-toi! a dit Sybille en souriant. Comme si j'allais lui faire peur! Non, c'est qu'il n'est peut-être pas encore passé.

– Bon, on verra bien s'il y a quelque chose ce midi.

Devant les grilles du collège, on a rejoint Bobo et Mehdi. Yann est arrivé en même temps que nous. Bobo m'a tout de suite questionné au sujet du typhon à Taïwan.

– Alex, j'ai vu aux infos hier soir pour le typhon. Rien de grave?

– T'as de la famille là-bas? a demandé Sybille.

– Ben oui, y a son père, a continué Bobo.

J'ai hésité, je ne savais pas trop quoi leur dire.

– Oui, je suis inquiet, j'ai répondu finalement. Les lignes sont coupées, on n'a pas réussi à joindre mon père, et la région où il vit est touchée.

– Oh! s'est exclamée Sybille.

Mes amis avaient l'air affectés. Mais nos mines se sont ragaillardies quand Yann, qui n'avait pas compris, a demandé :

– C'est quoi, un siphon ?

Le midi, avec Sybille, on est retournés au banc.

– Eh ben si, y a une nouvelle inscription : *Alex face de citron*, j'ai constaté.

– C'est pas très recherché ! Le bonhomme était pressé ce matin !

On a ri tous les deux. Franchement. Pas jaune cette fois – pourtant, ça aurait été de circonstance avec le citron ! Je me rendais compte que ce n'était pas moi mais l'auteur de l'insulte qui était ridicule. Je commençais à avoir des soupçons sur certains de mes camarades. Vu qu'il n'y avait rien d'écrit quand on était passés tout à l'heure, si c'était bien quelqu'un de notre classe, il avait dû se mettre un peu en retard. Et ce matin, parmi les retardataires, il y avait Phil, Ness et Joan, qui étaient venus comme d'habitude s'asseoir en classe à la dernière minute.

– Ça ne m'étonnerait pas que ce soit eux, a confirmé Sybille. Hier soir, Ness m'a envoyé un message. Elle m'a dit qu'elle regrettait qu'on ne se parle plus, qu'on pouvait quand même s'adresser la parole au lieu de s'ignorer. C'est bizarre, venant d'elle.

On est restés quelques minutes silencieux, assis sur le banc. Sybille n'avait pas l'air de vouloir rentrer chez elle tout de suite pour manger. Moi, mon estomac gargouillait, mon plat de nouilles froides m'appelait.

– Tu penses à ton père? a fini par dire Sybille.

J'ai hoché la tête. Mieux valait ne pas dire à quoi je pensais effectivement! Alors, je lui ai expliqué que mon père travaillait à Taïwan et qu'on était sans nouvelles de lui, ma mère et moi. Que ça l'angoissait, ma mère, de n'avoir aucune information.

Je l'ai sentie tout attendrie, inquiète pour moi. Elle a posé doucement sa main sur mon bras. J'ai sursauté et j'ai eu un mouvement de recul. Je n'avais pas envie qu'elle s'apitoie sur mon sort. J'étais gêné de son affection qui n'était pas justifiée.

– Non, mais tu sais, mon père, il n'a sûrement rien, et de toute façon je le déteste. Ce n'est pas depuis le typhon qu'on n'a plus de nouvelles, mais depuis plusieurs mois. Il nous a certainement abandonnés. Si c'est le cas, je préfère ne plus le voir.

– Ah...

Sybille est restée immobile quelques minutes. Je la sentais décontenancée, un peu blessée par mon ton sec, mais je n'ai rien fait pour la mettre à l'aise. Elle a bredouillé :

– Il a certainement ses raisons... Il ne faut pas tirer de conclusions hâtives...

Elle a continué un moment à prononcer des banalités du même genre. Je n'ai pas desserré les mâchoires. Je l'ai ignorée. Alors elle s'est levée. Je ne l'ai pas retenue. Elle est partie.

Machinalement, j'ai gratté l'inscription sur le banc. Ça me défoulait. Je ne savais pas pourquoi j'avais réagi comme ça avec elle. C'était de parler de mon père. Ça me rendait nerveux. J'ai sorti mon tupper. Les nouilles m'ont paru fades. Ma mère avait oublié d'ajouter la sauce soja dessus.

*M*on *dernier anniversaire.*

Maman a préparé mon plat préféré pour ce soir-là. Comme c'est jour de fête, les raviolis sont frits! J'adore, c'est encore meilleur: fondant à l'intérieur, croustillant à l'extérieur. Je suis revenu du collège avec des cadeaux. Bobo m'a offert un super tee-shirt. C'est le plus beau que j'aie. Il est noir avec un motif rouge abstrait mais très graphique. Ça me change des tee-shirts unis que ma mère m'achète en grande surface pour cinq euros. Mehdi m'a envoyé une carte d'anniversaire électronique par mail. Yann s'est trompé de jour, il pensait que c'était la veille, alors il trimballe mon cadeau depuis deux jours dans son sac: un paquet de confiseries, avec bonbons, guimauves, ours en chocolat, caramels, sucettes... J'ai récupéré le paquet un peu écrabouillé. Dedans, les sucreries étaient fondues ou agglutinées les unes aux autres, mais ça n'a rien changé au goût. On a partagé les bonbons tous les quatre à la récré et il m'en reste encore pour plus tard.

J'ai de la chance, on a quitté le collège à quinze heures. Je mets mon nouveau tee-shirt, je vais me connecter sur l'ordinateur, je branche ma webcam. En attendant, je checke ma boîte mail, je furète sur Internet. Mais mon père n'est pas connecté. Deux heures plus tard, je n'ai toujours pas de message dans ma boîte et mon père n'est pas apparu. Ma mère rentre, elle a rapporté un petit fraisier pour le dessert.

— Rien au courrier ?

— Non, rien, à part des factures. Oh, mais tu en as un joli tee-shirt !

On passe une super soirée avec ma mère, j'engloutis une tonne de raviolis, et le gâteau est délicieux. Mais je ne peux pas m'empêcher de surveiller d'un œil l'ordinateur.

«Avec le décalage horaire, c'est sûr qu'il n'appellera plus», je me dis.

J'attends tout de même jusqu'à minuit ce soir-là avant d'éteindre mon ordinateur. J'ai passé une belle journée et il faut que mon père me la gâche en faisant le mort.

La semaine suivante, mon père a envoyé un mail, mais nulle part il ne s'excusait d'avoir oublié mon anniversaire.

9

— **M**on père, il est mort !

Je n'étais pas dans mon état normal. On m'a provoqué.

Oui, j'ai dit ça. Devant tout le monde. Je l'ai crié.

Toute la soirée de la veille, ma mère avait tenté en vain de le joindre. Elle avait entendu que le quartier où il habitait avait été dévasté. Que les routes s'étaient effondrées. Il y avait très peu de disparus pourtant. Mon père ne pouvait pas être mort.

Avec ma mère, on s'est disputés. J'étais d'une humeur massacrante depuis que Sybille m'avait laissé sur mon banc le midi. Alors, le soir, je n'ai pas pu supporter de voir ma mère sangloter une fois de plus, s'inquiéter pour un homme qui ne lui donnait même pas de nouvelles, qui n'en avait plus rien à faire de nous. Sa faiblesse m'exaspérait, si bien que je l'ai brusquée en claquant la porte de ma chambre aussi fort que je le pouvais, au lieu de la prendre dans mes bras et de la consoler. Je n'ai pas dormi de la nuit.

Le lendemain, j'étais éreinté.

Mais c'est à cause de Ness que j'ai menti.

Pendant le cours d'histoire-géo, monsieur Bois m'a interrogé. Et ma leçon, je ne la savais pas. Pas pu réviser la veille, avec ma mère en larmes.

– Alors, Alexandre, qu'est-ce qu'il vous arrive? D'habitude, vous savez vos leçons, a grondé monsieur Bois.

Et cette peste de Ness a dit :

– Il a la tête dans les nuages à cause de Sybille!

Toute la classe a ri – sauf Sybille qui est devenue rouge. Heureusement, la sonnerie de la récréation a retenti et on s'est tous précipités dans le couloir. Sybille a retenu Ness par le bras :

– Quoi, c'est bon ! a rigolé la peste. Pas besoin de s'énerver, tout le monde sait pour Alex et toi !

Bobo est venu à la rescousse de Sybille :

– N'importe quoi, mêle-toi de ce qui te regarde ! Alex, il s'inquiète pour son père qui est à Taïwan.

– Ah oui, là où y a eu un ouragan... a répliqué Ness dédaigneusement. Qu'est-ce qu'on s'en fiche, y en a plein, des Chinois, de toute façon. On n'est pas à quelques dizaines près sur plus d'un milliard !

Phil et Joan se sont marrés à côté d'elle.

Depuis tout à l'heure, je bouillais. Alors, c'est là que je l'ai dit. C'est là que je l'ai crié :

– Ben justement, mon père, il est mort !

C'est sorti tout seul. Pour qu'ils se taisent, pour qu'ils arrêtent de m'insulter. Je n'ai même pas réfléchi à ce que je disais et aux conséquences que cela aurait.

Tous m'ont regardé avec de grands yeux, perplexes. Plus personne ne parlait ni ne bougeait.

Je me suis senti mal, j'ai dévalé les escaliers, traversé les couloirs du collège. J'avais envie de partir, de m'enfuir, de rentrer chez moi. Mais je ne pouvais pas sortir. Une fois dans la cour, je me suis adossé à un mur, je me suis laissé glisser jusqu'au sol et j'ai pris ma tête dans mes mains. Je suis resté comme ça un certain temps, et puis Bobo est venu. Il s'est assis à côté de moi.

– C'est vrai ça, tu penses qu'il est mort, ton père?

Je ne voulais pas répondre. Je ne pouvais pas répondre. Les mots ne sortaient pas de ma bouche. Ils étaient coincés dans ma gorge.

Bobo est demeuré silencieux à mes côtés. J'étais content qu'il soit là. J'aurais voulu le lui dire.

Les autres élèves se sont déversés dans la cour. Elle s'est remplie en un rien de temps. J'entendais les cris bruyants des sixièmes, le choc du ballon dans les pieds des cinquièmes qui jouaient au foot à la récré. Je voyais des filles rire, d'autres courir. Ceux de ma classe s'étaient regroupés autour de moi, j'apercevais à travers leurs jambes le gazon piétiné par les élèves.

J'ai perçu des chuchotements et des murmures plus forts. Ça se bousculait, ça se disputait douce- ment. Il y a eu du mouvement parmi les jambes et j'en ai reconnu deux paires qui s'avançaient. Phil, Joan.

– Excuse-nous, Alex. On savait pas.

Je n'en voulais pas de leurs excuses. Je voulais juste cracher à leurs pieds et les voir détaler. La cloche a sonné. Il fallait retourner en cours. Sans doute étais-je resté trop longtemps immobile. Mon corps était bloqué. Je ne pouvais plus bouger de là où j'étais. Alors, c'est Bobo qui m'a relevé. Nos camarades se sont écartés pour nous laisser passer.

10

J'ai mis un certain temps à reprendre mes esprits. Pendant les cours qui ont suivi, je suis resté hagard. Aux interclasses, Bobo était toujours là. Yann et Mehdi aussi. Ils attendaient que je leur explique. Et moi je n'avais pas envie qu'ils se départent de leur air attendri, je me complaisais dans cette torpeur, trop heureux de la compassion que tous me témoignaient.

À la fin de la matinée, j'ai fini par leur raconter que ma mère avait téléphoné au numéro vert à contacter pour avoir des informations au sujet du typhon. Que les secours dépêchés sur place avaient tenté également de joindre mon père. Sans succès. Et ses voisins ne savaient rien. Mon père n'était plus dans son appartement. Le logement était vide. Sa voiture, on l'avait aperçue bien plus loin, emportée par les eaux boueuses. Elle avait dévalé une pente provoquée par un glissement de terrain et on l'avait retrouvée cabossée, les portières arrachées, sans plus personne à l'intérieur.

– Y a sûrement encore espoir, a fait Yann.

– On nous a dit qu'il fallait s'attendre au pire, mais que les recherches continuaient.

Et puis au fil des heures, d'autres élèves de la classe sont venus me voir. J'ai raconté plusieurs fois cette même histoire. Ils m'ont adressé des paroles encourageantes, réconfortantes. Ils m'ont fait part de leur soutien.

Aude aussi s'est rapprochée de moi. Elle était un peu gênée parce que c'étaient ses amis, Joan, Phil et Ness surtout, qui m'avaient provoqué.

– Ness, on ne lui adresse plus la parole, m'a-t-elle dit. Mais Joan et Phil tiennent à s'excuser et à se faire pardonner.

J'ai fini par accepter de parler avec les deux garçons le midi. On a même déjeuné ensemble, dans le troquet que tient le père de Joan, juste derrière le parc. Au début, j'étais méfiant, mais je me suis laissé entraîner, touché par la sincérité de leurs excuses. L'endroit était accueillant, bien plus douillet que mon banc, et Phil et Joan charmants. J'ai découvert une nouvelle facette de leur personnalité.

Quant à Ness, tout le monde lui tournait le dos à cause de ce qu'elle m'avait dit. Même Sybille avec qui elle avait tenté de se rabibocher l'évitait.

Sybille, elle, se tenait tout de même à l'écart; sans doute ne savait-elle plus comment s'y prendre avec moi puisque je l'avais repoussée la veille.

En tout cas, tous mes camarades avaient changé d'attitude envers moi. Avant, je n'intéressais personne et seuls Bobo, Yann et Mehdi se souciaient de moi. On ne me regardait même pas, on me bousculait dans les couloirs comme si j'étais transparent. Si l'on devait m'appeler, on disait «Hep, le noiche». Aujourd'hui, on se retournait sur mon passage, on me souriait tristement. Tout le monde tentait de me remonter le moral, de me faire penser à autre chose et, bizarrement, c'étaient ceux qui m'avaient fait le plus de mal avant qui ne ménageaient pas leurs efforts en ce sens : Phil et Joan se montraient particulièrement amicaux. Peut-être essayaient-ils en quelque sorte de se racheter. Ils venaient régulièrement nous parler, à Bobo et moi. On aurait presque pu dire qu'on avait sympathisé. Après tout, derrière leurs grands airs, c'étaient tout de même de bons gars, Phil et Joan. Ils se la jouaient pour qu'on s'intéresse à eux, mais en fait on s'était trouvé des points communs à nous quatre, des passions communes. Et Aude se montrait très attentionnée envers moi elle aussi.

– Tu sais, elle m'a dit, quand Joan et Phil sont venus t'embêter en te faisant croire que tu me plaisais, ils n'avaient pas complètement tort...

Elle m'a regardé droit dans les yeux. Et, pendant cet instant, j'ai tout oublié : le typhon, mon père disparu, les sanglots de ma mère, les insultes, Sybille...

11

– Alexandre, qu'est-ce que tu es allé raconter à madame Huang?

Cela faisait presque une heure que ma mère aurait dû être rentrée, elle avait dû se faire happer par les voisines. J'avais entendu des exclamations de voix dans la cage d'escalier, des portes qui s'ouvraient et se refermaient, des chuchotements : une animation inhabituelle dans les couloirs de l'immeuble. Quand elle est enfin revenue dans notre appartement, elle s'est précipitée dans ma chambre. Je me suis braqué :

– Hein? Qu'est-ce que j'ai dit? J'ai rien dit!

Elle a secoué la tête :

– Pourquoi tu as été dire à tout le monde que ton père est mort à cause du typhon? Tu te rends compte de ce que cela implique? Je n'ose plus regarder les gens en face.

Mince, je ne me doutais pas que ça allait si vite sentir le roussi pour moi, et que toutes ces histoires parviendraient aux oreilles de ma mère. J'ai bredouillé quelques arguments pour ma défense en lui expliquant ce qu'il s'était passé au collège, qu'on m'avait provoqué...

– Mais c'est pas moi qui suis allé répéter ça à la voisine!

J'ai réfléchi: ça devait certainement être sa fille qui le lui avait rapporté. Mon éclat du matin avait dû circuler hors des frontières de la classe. J'ai continué:

– De toute façon, puisque Papa ne nous écrit plus, puisqu'il ne revient plus, c'est comme s'il était mort. Alors, pour moi, il l'est.

– Ne dis pas ça. Et quel besoin as-tu eu d'inventer tous ces détails? Ton père n'est pas sur la liste des disparus et on n'a pas retrouvé sa voiture cabossée! Il n'est pas dans son appartement en ce moment, c'est tout. Du coup, j'ai dû rassurer les voisins : je ne pouvais tout de même pas leur laisser croire que mon mari était mort. Mais j'ai précisé qu'on n'arrivait pas à le joindre. Notre situation les a émus. Madame Ling m'a offert des gâteaux de lune et madame Chen des rouleaux de printemps, et j'ai eu droit à des mots de consolation, des encouragements de la part de tous nos autres voisins, y compris madame Huang qui était sincèrement touchée !

– Oh, ben tant mieux alors, j'ai dit. Pour une fois qu'ils sont sympas avec nous !

– Oui, mais il va bien falloir qu'on leur donne des nouvelles de ton père une fois le typhon passé. Et si on ne réussit toujours pas à le joindre ? Tu crois vraiment qu'il a pu lui arriver quelque chose pour qu'il reste silencieux de cette façon-là ?

Bien sûr, je le crois ! Depuis que je l'ai crié haut et fort, j'en suis persuadé. J'ai presque failli pleurer plusieurs fois même, tellement j'y croyais. Je me complais dans ce drame, j'ai besoin qu'il soit arrivé quelque chose à mon père, besoin de faire son deuil, besoin d'expliquer pourquoi il n'écrit pas, ne répond pas, ne revient pas. Évidemment qu'il pourrait ne pas être mort, être tout simplement allé chez quelqu'un, chez sa maîtresse par exemple, ce qui justifierait le fait qu'on ne l'ait pas retrouvé chez lui. Mais je préfère ne pas le savoir. S'il ne veut plus revenir, pour moi, il n'existe plus ; pour moi, c'est comme s'il était mort. Je n'ai pas l'impression de mentir. Je n'ai pas l'impression d'abuser de la gentillesse des autres ; et pour une fois, je ne suis plus transparent.

Ma mère, elle, se refuse à faire le deuil de quoi que ce soit. En même temps, elle a les soucis matériels en tête. Comment fera-t-on pour vivre si mon père n'est plus là pour nous aider ? Avec son seul salaire, ma mère paie à peine le loyer et les charges fixes. Il ne lui resterait presque plus rien pour nous nourrir. Nous n'avons pas de famille en France qui pourrait nous épauler. Et puis elle croit toujours en mon père, elle est persuadée que même s'il avait décidé de refaire sa vie là-bas, il ne nous lâcherait pas comme ça. Elle n'a pas pu choisir un homme foncièrement mauvais ; au moins pour moi, il continuerait à nous soutenir.

Une des voisines lui a dit :

– Au pire, vous êtes encore jeune, vous pourrez retrouver un mari français, comme madame Li. On dit bien : «Loin des yeux, loin du cœur», alors parfois il vaut mieux refaire sa vie, chacun de son côté.

– C'est stupide, a commenté ma mère devant moi, comme pour chasser cette idée.

Ce soir-là, on a dîné en silence. Ma mère n'a pas cuisiné. On a mangé les rouleaux de printemps et les gâteaux apportés par les voisins. Au moins, ça nous aura fait économiser le prix d'un repas.

– Lui, il va mal tourner, c'est sûr!

J'ai l'oreille collée à la porte d'entrée de l'appartement. Madame Huang est en train de papoter avec madame Ling dans le couloir. Et comme je viens de mal lui parler, elle va certainement se plaindre de mon attitude auprès des voisins. Mais elle l'a cherché. J'ai raté le contrôle de biologie la semaine dernière, et la prof nous a rendu les copies. Huit sur vingt. D'habitude, je suis bien meilleur, mais je n'ai pas eu de chance: il avait plu à verse quelques jours auparavant et, lorsque j'ai ouvert mon cahier de cours pour réviser, il était détrempé. Je savais que mon sac à dos n'était pas étanche, mais à ce point... Je n'arrivais

presque plus à déchiffrer mon cours. Et pour cou-
ronner le tout, mon ordinateur était en panne,
Mehdi devait venir le week-end suivant pour le
réparer. Donc je ne pouvais même pas demander
à Bobo de me scanner son cours. J'ai toqué chez
la fille Huang qui était alors dans ma classe pour
le lui emprunter, mais elle m'a rétorqué qu'elle
aussi devait réviser pour le contrôle. Ce qui m'a
déplu, c'est qu'ensuite sa mère s'est vantée auprès
de la mienne que sa fille avait bien mieux réussi
que moi cette fois. Alors, tout à l'heure, je lui ai dit
que sa fille était une égoïste. Elle n'a pas apprécié.

— Ça n'est pas étonnant, avec son père qui ne
revient jamais, il doit être déséquilibré.

— En même temps, son père n'a jamais désiré
cet enfant. S'il n'était pas né, il ne se serait pas
marié et serait rentré directement à Taïwan au
lieu de perdre dix ans ici.

— À ce qu'il paraît, il avait même une fiancée
qui l'attendait là-bas.

Je me redresse. Je n'ai pas envie d'entendre la
suite. Je vais dans ma chambre et je roue de coups
mon oreiller jusqu'à ce que je n'en puisse plus.

12

Le lendemain midi, je me suis retrouvé à nouveau sur mon banc. Il n'y avait plus rien d'écrit. Plus d'insulte à mon encontre. Je n'ai pas sorti mon tupper. Cette fois, j'avais un sandwich. Avec du pain de supermarché. Jambon, œuf dur, salade. Et il s'est mis à pleuvoir. J'ai rabattu sur ma tête la capuche de mon sweat. Pas terrible, ce sandwich. Mieux valait que j'aille me mettre à l'abri si je ne voulais pas me faire rincer.

J'ai quitté mon banc et je suis revenu dans l'allée principale. Il reste beau, ce parc, même sous la pluie. Le petit plan d'eau est encore plus agréable à voir, avec les gouttes qui tombent et agitent sa surface. Les arbres se courbent avec le vent et leurs feuillages bruissent. J'étais bien là, je n'avais pas envie de rentrer chez moi, même si on avait davantage de temps ce midi. Plus loin, il y a un kiosque à musique. L'idéal pour s'abriter par ce temps-là. Mais lorsque je suis parvenu à la hauteur de cette petite construction en bois, je me suis aperçu que quelqu'un était déjà là.

– Sybille...

Oui, c'était elle, adossée à la balustrade, la laisse de son chien à la main. Floppy courait un peu plus loin sous la pluie.

Elle s'est retournée. Elle n'a pas semblé surprise de me voir arriver sous le kiosque.

– Il pleut, j'ai dit.

– Oui, je le vois bien, elle a fait.

Nous étions gênés. Sybille, si volubile d'habitude, était silencieuse. Elle regardait la pluie qui tombait et ne disait rien. On est restés comme ça dix minutes, un quart d'heure peut-être. Sans se parler. La pluie a redoublé. Floppy est venu interrompre nos pensées. Il a jappé.

– Bon, je vais y aller, a dit Sybille.

– Attends...

Je lui ai pris le bras, ce silence entre nous ne me plaisait pas. On s'est regardés. Elle m'a dit :

– Ton père, t'as raconté qu'il avait disparu à cause du typhon... C'est pas vraiment ça, hein ? Je me suis renseignée sur Internet, il y a une douzaine de morts, une cinquantaine de disparus... Mais toi, tu préfères le faire disparaître parce qu'il ne donne pas de nouvelles. Tu m'as avoué que tu le détestes, ton père. Il est arrivé au bon moment, ce typhon, ça t'a donné un bon prétexte.

J'aurais pu m'offusquer, lui rétorquer qu'il y avait quand même quelque probabilité qu'il soit réellement mort et qu'elle me décevait de ne pas compatir à ma souffrance. Mais devant elle, je ne voyais pas l'intérêt de faire semblant.

Elle a continué :

– Ton petit jeu, il est risqué, tout de même. Mais c'est bien, tout le monde se montre sympa. T'es content qu'on fasse attention à toi. Moi, je n'ai pas envie de jouer la comédie. De toute façon, j'ai bien vu que tu n'en voulais pas de mes bons sentiments, tu préfères ceux de Joan, Phil, Aude surtout... Pourtant, j'aurais pu te comprendre.

Mon père, mon vrai père, est parti lui aussi. Pour de bon. Ma mère a dû se débrouiller toute seule. Alors, je m'en vais maintenant, tu n'as pas besoin de moi, va retrouver Aude et sa bande.

– Sybille... Attends, ce n'est pas ce que tu crois...

Mais je ne l'ai pas retenue. Elle s'est éloignée sous la pluie, s'est retournée une dernière fois :

– Si tu crois que ça te rendra intéressant aux yeux des autres de jouer à celui dont le père est mort, tu te mets le doigt dans l'œil. Faudra bien que tu leur dises un jour que c'est même pas vrai. Tu crois que ta nouvelle bande de copains apprécierait d'apprendre que tu lui mens ? Et Aude de savoir que tu profites de sa compassion ? La prochaine fois, c'est *Alex sale menteur* qu'on écrira sur ton banc.

Elle est partie en courant, le chien dans ses jambes. Ses cheveux ruisselaient et je ne savais pas si c'étaient des gouttes ou des larmes qui coulaient sur son visage. La pluie sans doute. Quel temps de chien...

Qu'est-ce que j'aurais pu répondre à ça ? J'ai haussé les épaules.

«Pff... Elle est jalouse d'Aude, c'est tout», je me suis dit. Mais elle avait touché juste et j'ai senti une boule se former au travers de ma gorge.

13

Onze heures. Je venais à peine de me réveiller. Je n'avais pas dû fermer l'œil avant quatre heures du matin. Et quand on n'arrive pas à dormir, on a le temps de cogiter. De remuer nos plus noires pensées. De délirer à moitié. Je ne savais pas quel conseil la nuit avait pu m'apporter, mais elle ne m'avait pas éclairci les idées. J'étais encore plus embrouillé avec moi-même.

«Quand on dort mal, c'est qu'on a des choses à se reprocher.»

Je ne me rappelais plus où j'avais entendu cette phrase, mais ça n'était peut-être pas entièrement faux dans mon cas. J'imaginais bien Sybille me l'asséner comme une vérité, mais je ne voulais pas penser à elle. Et puis il arrive qu'on dorme mal simplement parce qu'on a des soucis. Ce n'est pas forcément de notre faute.

Heureusement, on était samedi, et je pouvais rester au lit autant que je voulais.

À midi, ma mère est tout de même venue toquer à la porte de ma chambre. Ça ne me ressemblait pas d'être couché à cette heure-ci.

– Alexandre, tu dors encore?

– Non... Je vais me lever...

– Le repas est bientôt prêt, tu devrais sortir un peu t'aérer, il fait beau aujourd'hui.

Hier, Joan et Phil nous avaient proposé une petite sortie en extérieur. À l'arrière du parc, il y a des rampes pour faire du skate ou du roller. J'avais hésité : et d'une, je ne savais faire ni du skate ni du roller et je n'en possédais pas, et de deux, je souhaitais tenir compagnie à ma mère ; après tout, j'étais censé être en deuil.

– Si tu changes d'avis, tu pourras toujours passer, avait insisté Joan, j'amènerai une planche de skate en rab. Tu verras, ça te fera du bien, je t'apprendrai.

Je suis allé prendre une bonne douche, j'ai enfilé un tee-shirt frais. Ça m'a requinqué. J'ai rejoint ma mère à table.

– T'es sûre que tu ne préférerais pas que je reste avec toi cet après-midi ?

– Non, au contraire, ça ne sert à rien de ressasser les mêmes hypothèses ensemble toute la journée. Mets-moi un film marrant à la télé, ça m'aidera à penser à autre chose ; et va retrouver tes copains.

Une fois sorti de table, je me suis connecté sur l'ordinateur. Bobo était là lui aussi.

– Ça te dit finalement d'aller rejoindre Joan et Phil au skate ?

– Ben, si tu veux, oui, pas de souci, je t'accompagne.

– OK, à tout à l'heure alors.

Bobo et moi, on s'était donné rendez-vous devant l'entrée du parc et on a marché ensemble jusqu'aux pistes de skate. Bobo avait le sien, mais comme il était le seul de notre petite bande habituelle à savoir en faire, il n'avait pas l'occasion de le sortir souvent.

Joan et Phil étaient déjà là. Aude non. Tant mieux, je n'avais pas spécialement envie qu'elle me voie tomber et me maintenir difficilement en équilibre sur la planche. Les deux garçons étaient contents de nous voir arriver, et Joan n'avait pas oublié le skate en plus pour moi. J'ai même eu droit aux genouillères et autres protections sur les bras. Avec l'aide de Bobo, Joan a entrepris de m'enseigner les rudiments. Ça allait, je n'étais pas trop maladroit, je ne tenais pas si mal l'équilibre. Je commençais à plutôt bien m'amuser, et Bobo était tout aussi content que moi : il s'était approprié la plus haute rampe et exécutait maintenant de superbes acrobaties sans même s'égratigner.

– Les filles vont bientôt arriver, je pense, a dit Joan en regardant sa montre.

– Les filles ?

– Oui, oui, a continué Phil, Aude et Sybille, pas Aude et Ness, bien sûr !

– Sybille ? j'ai fait, gêné.

Joan a ri :

– Ben oui, les filles sont ainsi : un coup, elles ne se causent plus et, le lendemain, ce sont à nouveau les meilleures amies du monde. Bon, en fait, c'était surtout Ness qui s'était fâchée avec Sybille, mais Aude, elle, l'a toujours bien appréciée.

J'ai cherché une excuse pour me défiler :

– Ah c'est dommage, je vais sans doute les manquer, il ne va pas falloir que je tarde à rentrer...

J'avoue, c'était assez lâche de ma part, mais je redoutais une confrontation avec Sybille. Je m'en voulais et j'avais peur de son regard : elle voyait bien clair en moi. Mais les filles ont été plus rapides. Pendant que j'enlevais tout l'attirail de mon équipement, elles sont arrivées, pimpantes, le sourire aux lèvres.

Tournée de bises...

Sybille m'a souri comme si de rien n'était. Pourtant ses yeux étaient pleins de malice. Toute sa personne resplendissait : ses cheveux aux boucles soyeuses étaient disciplinés par un bandeau, quelques mèches s'en échappaient, encadrant joliment son visage ; elle s'était maquillée, elle sentait bon, une ceinture entourait sa taille fine et la jupe qu'elle portait laissait apparaître ses jambes dans des collants rouges. Je ne l'avais encore jamais vue comme ça. J'ai pensé que je n'avais jamais vraiment pris la peine de la considérer. Son regard mordant et vif m'a liquéfié : j'ai détourné la tête.

– Bon ben, j'y vais, moi. C'était sympa cet après-midi, ça m'a fait du bien.

J'ai serré la main aux gars et j'ai pris la fuite. Pendant tout le trajet du retour, je n'ai plus réussi à me détacher de l'image de Sybille.

14

Dès que je suis rentré, ma mère s'est précipitée vers moi.

– Alexandre, je t'attendais. J'ai une bonne et une mauvaise nouvelle à t'annoncer.

Au sujet de mon père certainement...

– La bonne nouvelle, a continué ma mère, c'est que ton père vient enfin de m'écrire un mail ; c'est donc qu'il va bien. La mauvaise, c'est qu'il ne veut plus rentrer.

– Euh, attends... Qu'est-ce que tu dis ? Papa a écrit ?

Ma mère avait prononcé tout ça très vite ; je n'avais même pas eu le temps d'enlever ma veste ni de retirer mes chaussures. Je n'étais pas du tout prêt à replonger direct dans nos soucis et inter-rogations concernant mon père. Stop. *Reverse.* *Replay.* Les paroles de ma mère se sont rejouées dans mon cerveau. Je commençais à comprendre ce qu'elle m'avait dit, ce que cela signifiait.

Mon père, après des mois de silence radio, avait écrit un mail à ma mère, en réponse à tous nos courriers sans suite. Il avait écrit aujourd'hui, ce qui signifiait qu'il était bien en vie et donc qu'il allait falloir que je le ressuscite dans mon esprit. Il n'était pas mort, mais il ne revenait pas. Pourquoi ne revenait-il pas? Qu'avait-il écrit dans son mail exactement? J'ai posé la question à ma mère.

– Viens dans le salon, a-t-elle dit, je te montre.

Elle a rouvert la fenêtre de sa boîte mail sur l'écran de l'ordinateur et affiché le message de mon père. Il était en chinois bien sûr et je n'arri-vais pas à le lire. Ma mère a traduit:

– *Cela fait longtemps que je n'ai pas donné de nouvelles. Il y a eu un violent typhon ces derniers jours et beaucoup de dégâts matériels. Je ne ren-trerai pas les mois prochains. C'est de plus en plus difficile pour moi de rentrer en France. Je souhaite démarrer de nouvelles choses à Taïwan. J'y ai de nombreux projets. Je vous enverrai un chèque dans les jours qui viennent et t'appellerai pour que nous en parlions plus en détail. Embrasse Alexandre pour moi.*

Ma mère s'est tu. Elle a reniflé. Pas évident d'interpréter d'une autre manière les propos de mon père : il ne voulait plus rentrer en France, il voulait refaire sa vie certainement. Peut-être appellerait-il pour régler les détails administratifs, engager une procédure de séparation à l'amiable ou que sais-je encore. On s'y attendait quelque part, on l'avait envisagée, cette hypothèse. J'ai entouré ma mère de mes bras. Ça faisait longtemps que je ne lui avais pas donné une telle marque d'affection. En même temps, on n'est pas très démonstratifs dans notre famille. Ça lui a fait du bien, je crois. Elle a essuyé les larmes qui avaient coulé silencieusement le long de ses joues et elle a dit :

– Oui, on s'en doutait. Mais c'est dur quand même.

C'est ce moment-là qu'a choisi madame Huang pour sonner. Tout de suite, on a su que c'était elle à la porte. Peut-être avait-elle une façon particulière d'appuyer sur la sonnette, de laisser son doigt traîner un temps donné, et nos oreilles, instinctivement, avaient appris à en reconnaître le bruit... On a hésité à ouvrir. Mais ma mère, poussée par une volonté que je ne lui connaissais pas, s'est dirigée d'un pas ferme vers l'entrée. Elle a ouvert et j'ai pu entendre la conversation suivante :

– Madame Huang, mon mari n'est pas mort. Nous venons tout juste de recevoir un mail de lui. Il est en vie et va très bien. Et j'ai de quoi assouvir votre soif de sales ragots sur les gens de l'immeuble : mon mari est si bien à Taïwan qu'il y reste et ne revient plus ici. On se quitte. N'est-ce pas une grande nouvelle ? Parfaite pour émoustiller votre imaginaire ; vous pourrez inventer une histoire d'adultère comme vous les aimez. Et me rajouter sur votre liste, entre madame Li, madame Chen et les autres.

– Non mais ça vous fait perdre la tête que votre mari vous quitte ! Qu'est-ce que vous racontez ? Je savais bien que vous n'étiez pas des gens fréquentables !

– Ah non, certainement pas, il vaut d'ailleurs mieux que votre mari arrête de chercher à me fréquenter! J'en ai un peu marre de ses avances!

Un cri d'indignation a retenti. Ma mère a claqué la porte. Elle est revenue vers moi, souriante. Quand je l'ai vue ainsi, j'ai ri, et elle aussi:

– C'est vrai ça, pour son mari? j'ai demandé.

– Oh! Un peu quand même... Je ne me serais pas permis, sinon. Mais parfois, il suffit de pas grand-chose pour faire un bon ragot.

15

J'étais fier de ma mère et de ce qu'elle avait fait. C'était quelque chose, ça, d'avoir réussi à clouer le bec à notre voisine !

Mais moi, comment allais-je m'en sortir ?

On était lundi et, sur le chemin du collège, je me demandais comment je devais réagir. Je n'avais pensé qu'à ça tout le dimanche. Il fallait bien que j'avoue à tous que mon père n'était pas mort et que je les avais trompés. Certes, la solution aurait été d'annoncer avec joie qu'il était arrivé un miracle et que mon père était bien en vie. C'était plausible. Tout le monde serait content pour moi. Pas besoin de dire que j'avais menti. D'ailleurs, je n'avais pas menti, j'avais juste un peu exagéré.

Faut croire que les autres n'étaient pas du même avis. Je m'étais remué les méninges pour rien : tout le monde savait déjà.

– Hé, le mytho, alors, ton père, il a ressuscité ?

C'est comme ça que j'ai été accueilli ce lundi matin. Sybille m'avait-elle trahi ? Elle était la seule à connaître la vérité. Je sentais les regards hostiles de mes camarades, j'entendais leurs chuchotements ; je me suis tant bien que mal frayé un passage au milieu d'eux. Je nageais vers Bobo comme s'il était ma bouée de secours.

– Écoute, je ne te juge pas, t'as sûrement eu tes raisons pour nous raconter ça. Mais je croyais qu'on était meilleurs potes, alors, tu aurais pu me dire...

Le regard de Bobo n'était pas méchant, plutôt triste, mais je n'ai pas eu le temps de bredouiller des explications. La cloche a sonné. Les grilles se sont ouvertes, et le flux d'élèves m'a happé et éloigné de Bobo qui me tournait maintenant le dos. J'ai vu la bande de Joan arriver vers moi, et Sybille, qui les avait rejoints. Ils sont passés près de moi et m'ont regardé d'un air condescendant. Sybille a fait semblant de ne pas me voir. Seule Aude a murmuré :

– T'as fini de faire ton intéressant, alors !

– T'avais qu'à pas y porter d'intérêt, j'ai répondu.

Ça m'a fait mal qu'ils se détournent tous de moi. J'étais à nouveau un sujet de raillerie ou celui qu'on ignore complètement. L'exclu. J'ai laissé passer le flot de cartables et de sacs à dos et j'ai franchi la grille à mon tour. Et puis, on m'a tapoté l'épaule : c'était Yann.

– Tu vois, Alex, je t'avais bien dit qu'il y avait encore espoir.

Yann, il est parfois un peu naïf, mais là, ça m'a réconforté. Il m'a fait un large sourire et on est entrés ensemble dans la salle de cours.

Les heures ont été longues. À la récré de dix heures, j'ai essayé d'expliquer la situation à Bobo, Yann et Mehdi. Ils ont eu l'air de comprendre. Pourtant, on était toujours aussi mal à l'aise. Je me sentais seul. Sybille m'avait prévenu. On ne récolte que ce qu'on sème. J'observais les autres élèves depuis le coin où on s'était assis avec les copains. Et là, j'ai vu Ness parler avec la fille Huang. Alors j'ai compris. J'avais accusé Sybille à tort. C'est la fille de notre voisine qui était allée tout raconter. Elle seule savait puisque ma mère avait tout dit à la sienne. J'ai cru que j'allais traverser la cour pour lui en mettre une. Mais je me suis retenu. On ne frappe pas une fille, bien sûr. Même pas la fille Huang, qu'elle nous énerve ou pas. J'aurais risqué de surcroît d'avoir toute la bande d'Asiatiques du collège à mes basques et d'être définitivement banni de toute communauté.

Je me suis donc calmé.

Le midi, plus question de faire le chemin jusqu'au parc avec Sybille. Ni même avec Joan ou Phil. Tous les trois marchaient derrière moi, en riant, et ils ont tourné avant l'entrée du parc. Sybille a tourné avec eux. Elle semblait apprécier particulièrement la compagnie de Joan et il le lui rendait bien. J'étais jaloux. Affreusement. Je ne suis pas allé sur mon banc. Je me suis dirigé vers le kiosque à musique. J'ai mangé là. Je crois que j'attendais quand même Sybille. Désespérément.

16

Je n'y croyais plus. Et pourtant, elle est venue. C'est tout d'abord Floppy, son chien, que j'ai entendu.

«Ouarf, ouarf!»

Le toutou s'est dirigé vers moi, suivi de Sybille qui était descendue dans le parc pour sa promenade journalière.

– Tu vois, à cause de notre enquête, maintenant, c'est à moi de promener Floppy.

Elle a dit ça sérieusement et, en voyant ma mine déconfite, elle s'est esclaffée:

– Tu en fais une tête, Alex! Tu as vu la nouvelle inscription qu'il y a sur le banc?

– Hein, y a une nouvelle inscription? j'ai fait, désabusé. Je ne suis pas encore retourné là-bas.

– Oh, eh bien, il y a simplement écrit *menteur*.

On a quitté le kiosque à musique pour se diriger vers le banc. Toujours au Tipp-Ex, le mot y était écrit en lettres majuscules. Mon prénom n'y figurait pas, mais cette fois, pas besoin de cette précision pour me sentir visé. Je n'arrivais même plus à éprouver de la colère. Peu m'importait ce qu'on pouvait penser de moi, je souhaitais juste retrouver l'amitié de Bobo et celle de Sybille. Cette dernière n'avait pas spécialement l'air de m'en vouloir. Je lui ai posé la question :

– Mais toi, t'en penses quoi ? Tu me détestes tout autant que les autres maintenant ? Après tout, c'est toi qui n'as plus besoin de moi à présent. Tu refais partie intégrante de la bande de Joan.

– Oui, elle m'a répondu avec son sourire malicieux, je suis même plus qu'intégrée, puisque hier j'avais rendez-vous en tête à tête avec Joan.

Alors là, c'était pire que ce que je m'étais imaginé. Je me suis assis sur le banc. Ou plutôt, je m'y suis effondré.

En l'espace de deux secondes, j'ai pu dresser le bilan catastrophique de ces derniers jours :

Mon père avait confirmé qu'il ne rentrerait plus et annulait tout espoir que l'on pouvait encore former.

On me prenait maintenant pour un menteur et pour quelqu'un qui voulait se rendre intéressant.

Bobo et moi étions en froid.

Les voisins allaient encore plus nous détester, à part madame Ling et madame Chen qui plaindraient encore plus ma mère.

J'étais devenu dingue de Sybille et elle sortait avec Joan.

Et, concernant les insultes sur mon banc, impossible de savoir qui en était l'auteur. Je voulais croire que c'était Ness, mais je n'avais rien pour le prouver. Et maintenant qu'on savait que c'était moi le menteur, je n'allais plus du tout être crédible si je l'accusais.

– Allez, c'est pas la fin du monde, m'a dit Sybille.

Elle est venue s'installer à côté de moi. Je ne voyais rien de drôle, et pourtant Sybille a pouffé :

– Désolée, j'peux pas me retenir... Tu ne crois quand même pas que je vais réellement sortir avec Joan ? Notre petit rendez-vous, je l'ai accepté pour tout autre chose. Rassure-toi, il ne s'est rien passé et je n'ai même pas été obligée de l'embrasser, encore heureux! Alors, tu ne veux pas savoir qui écrit sur ton banc? Parce que moi, l'enquête, je l'ai menée; et j'avoue que tu fais un bien piètre coéquipier!

– Euh, si, j'ai chevroté, tout de même un peu vexé de ma naïveté. J'imagine que c'est Ness, non?

Sybille a sorti une feuille de son sac et me l'a tendue. C'était une copie de notre dernier contrôle de maths. Sur ce devoir, je pouvais reconnaître, dans les équations notées par l'élève, des «x» et des «z» semblables à ceux de l'insulte photographiée par Sybille et que l'on avait examinés de si près. Et la copie, c'était celle de Joan, qu'elle avait récupérée dimanche lors de son rendez-vous avec lui!

17

Ensuite, tout s'est enchaîné. Avec Sybille, on a réfléchi à un plan. Mais on n'en avait pas vraiment. On s'est simplement dit qu'on allait interroger le suspect et qu'on aviserait ensuite de la sanction en fonction de sa déposition.

Sybille a donné rendez-vous à Joan le soir même après les cours, dans le parc, au kiosque à musique. Sybille devait entraîner Joan vers le banc et faire mine de découvrir l'insulte. On n'avait pas effacé l'inscription *menteur*, exprès. Moi je les attendais près du banc, caché derrière un arbre. Quand ils sont arrivés, Sybille s'est écriée :

– Oh, qu'est-ce que c'est, cette inscription ? Ah oui, c'est ici qu'Alex vient manger tous les midis, c'est lui le menteur! C'est quand même pas toi, Phil ou Ness qui êtes venus écrire ça?

– Mais non... a protesté Joan, visiblement gêné.

Sybille ne l'a pas laissé continuer. Moi, caché derrière mon arbre, je ne tenais pas en place.

– En fait, ce n'est pas très sympa de votre part de ne plus lui parler. Certes, son père n'était pas mort, mais il aurait pu l'être. Ça faisait des mois qu'il n'avait pas eu de nouvelles, il y avait de quoi s'inquiéter... Comment réagirais-tu, toi, si l'un de tes parents ne donnait plus aucun signe de vie? Et qu'en plus il y avait une sotte dans la classe qui te faisait des réflexions racistes?

– D'accord, j'admets, c'est vrai qu'après tout on peut comprendre qu'il ait craqué, Alex. Enfin bon, on ne va pas épiloguer là-dessus, on n'est pas là pour parler de lui, non?

– Eh bien si, a fait Sybille. D'ailleurs, il est là. Tu ne pensais tout de même pas que je t'avais donné rendez-vous pour tes beaux yeux!

La situation était plutôt cocasse; je suis sorti de ma cachette tel un *deus ex machina*. J'ai marché droit sur eux, pressé d'en découdre. Je n'ai pas tourné autour du pot:

– On sait que c'est toi qui as écrit toutes ces insultes! Les *Alex, tronche de nem, Alex, bol de riz...* C'est ton écriture! Alors maintenant, explique-toi : entre le Joan qui m'apprenait à faire du skate et celui qui a noté ces âneries, j'ai du mal à faire le lien...

– Mais c'est quoi, ces accusations! il a crié. Qu'est-ce que tu fous là, toi, vous êtes de mèche, Sybille et toi? J'aurais dû m'en douter!

Avec Sybille, on hésitait sur le scénario à adopter. Joan semblait un peu perdu : ses doigts tapotaient nerveusement ses cuisses; on aurait dit qu'il tergiversait entre nier tout d'un bloc et justifier ses actes. Mais il s'est calmé, il a soupiré, et a fini par dire :

– C'est vrai, avec Phil et Ness, on a voulu plaisanter un peu. Ces dernières semaines, Sybille se rapprochait de toi, elle t'emboîtait toujours le pas le midi pour rentrer avec toi jusqu'au parc. On la voyait te quitter à l'entrée et rêvasser tout le reste du chemin. Alors, on s'est imaginé que vous vous retrouviez en cachette, une fois qu'on vous avait dépassés. On a voulu jouer les espions et c'est comme ça qu'on a découvert que tu mangeais tout seul, sur ce banc, tous les midis. Rien à voir avec des rendez-vous secrets. On s'est demandé ce que tu fichais là, pourquoi tu ne rentrais pas chez toi. Alors, on a pensé qu'on pouvait bien rigoler si on écrivait des trucs sur toi sur le banc. C'est bête, hein? On ne te connaissait pas vraiment à ce moment-là, c'était facile de s'en prendre à toi.

– Oui, ben vous auriez pu trouver autre chose que de vous attaquer à mes origines asiatiques, j'ai dit.

– Non, a continué Joan, justement, la seule chose qu'on voyait de toi, c'était ton apparence, alors on s'est arrêtés à ça. Quand on a cru que ton père était mort, on s'est rendu compte que nos blagues pouvaient être réellement blessantes. Et puis, en passant un peu de temps avec toi et même avec Bobo, on s'est aperçus que tu étais plus que ça, on t'a même trouvé super sympa, et Bobo aussi.

Joan a fait une pause. Puis il a martelé de son index l'inscription du banc:

– Celle-ci, je l'ai écrite par déception. On a pensé que tu avais tout inventé uniquement pour faire ton intéressant. On n'a pas compris. Et

Ness nous a monté le bourrichon. Elle mériterait une bonne leçon. Pour les premières insultes, je m'excuse, elles étaient nulles.

Sybille et moi, on s'est interrogés du regard. On ne savait pas trop quel verdict donner après tout ça. Je me suis assis avec eux sur le banc. On a parlé, longtemps.

– Alex, a dit Joan, je veux bien personnellement tâcher de mettre fin à tout ce qu'on dit de toi, si ça peut me racheter...

Au fond de moi, je savais que je ne lui en voulais pas. Ma haine des premiers jours avait disparu. Alors je lui ai pardonné et, dès lors, j'ai su que je pourrais également pardonner à mon père ses silences.

On est à la mer. On est partis en voiture tôt le matin et on a roulé jusqu'en Normandie. Ma mère a préparé le pique-nique. J'ai mis un slip de bain sous mon jean, un bouquin à lire dans mon sac à dos. Ça sera notre dernière sortie en famille avant que mon père ne parte à Taïwan chercher du travail.

Une fois sur la grève, je le questionne :

— Comment c'est, là-bas ?

— Là-bas, il y a des cocotiers qui bordent les plages, des coquillages qui jonchent le sable gris. Si tu as soif, on découpe une jeune noix de coco et tu peux en boire le jus avec une paille.

– C'est mieux qu'ici alors. On n'a pas de noix de coco en Normandie. Et l'eau, elle est chaude ? Tu iras à la plage aussi là-bas ?

– Certainement. L'île n'est pas très grande, on arrive très vite à la mer. Sinon, il y a les montagnes.

– Comment elles sont, les montagnes ? Elles sont hautes comme les Alpes ?

– Pas aussi hautes que le mont Blanc, mais la plus haute montagne atteint presque les quatre mille mètres. Le climat n'est pas le même, il y a de la végétation tropicale sur les montagnes, pas des sapins. Il y a aussi des forêts de bambous, des arbres à thé. Et plein de variétés de fruits et de légumes qu'on ne mange pas ici.

– Dis, j'irai à Taïwan moi aussi un jour ?

– Bien sûr. Tu viendras pendant les vacances avec maman. Tu rencontreras toute la famille. Ça sera bien.

Oui, ça serait bien.

18

Joan s'est très bien débrouillé pour qu'on ne me prenne plus pour un menteur. Il a expliqué que Ness, comme à son habitude, avait déformé les choses pour se venger de moi qui lui avais fait perdre l'estime de son groupe. Il a repris l'explication de Sybille, disant que je n'avais effectivement pas réussi à joindre mon père après le passage du typhon et que cela suffisait amplement pour s'inquiéter. J'ai regagné l'amitié de Bobo, que je n'avais pas réellement perdue en fait ; il s'était juste un peu vexé que je ne lui aie pas fait toutes ces confidences. Quant à Ness, elle s'est retrouvée toute seule et a fini par rejoindre le groupe d'Asiatiques du collège dont faisait partie la fille

Huang ; elles avaient établi une certaine complicité, à médire de moi et ma famille. Secrètement, on se moquait bien de Ness : elle qui avait affiché avec mépris son indifférence pour quelques morts chinois supplémentaires, elle avait dû changer d'avis et se faire une autre opinion des Asiatiques... Elle ne fréquentait plus qu'eux au collège !

Moi j'étais content avec mon nouveau groupe élargi de copains : Bobo, Yann, Mehdi, auxquels se sont ajoutés Joan, Phil, Aude et Sybille. Les vacances de la Toussaint approchaient et on avait prévu plein de sorties sympas : parc, skate, cinéma, bibliothèque, et même quartier chinois à visiter. Aude, toujours aussi fan d'Asie, voulait se dénicher un petit *neko*, les chats porte-bonheur qui lèvent une patte. Tout d'abord, je me suis effrayé de ces sorties : on n'avait pas encore reçu le chèque de mon père et on était limite niveau budget. Mais lorsque j'ai expliqué avec un peu de honte notre situation financière à mes amis, ils m'ont tout de suite rassuré : pas de souci pour qu'on se cotise si besoin. Bobo, lui, était toujours prêt à acheter mon sandwich lorsqu'on sortait le midi.

– Bon, c'est sûr, ce sandwich, il ne doit pas valoir les raviolis de ta mère!

Alors j'ai réfléchi, et je leur ai dit:

– Ça vous dirait de les goûter, les raviolis de ma mère?

– Ah ça oui! se sont-ils écriés joyeusement.

C'est comme ça qu'on s'est tous retrouvés chez moi: chacun de nous a mis la main à la pâte pour confectionner une montagne de raviolis. Bien sûr, mes copains n'avaient pas la technique pour les façonner, alors certains étaient ratés, mais j'ai eu l'impression de n'en avoir jamais mangé d'aussi bons. On était un peu serrés, là, dans notre petit appartement tous ensemble, mais on était bien. C'était comme si les papiers peints jaunis n'étaient plus si jaunes, comme si les traces d'humidité s'étaient estompées. De toute façon, on n'avait d'yeux que pour les raviolis de ma mère et la sauce. On s'est régalés.

Enfin, un matin, on a reçu un appel de mon père. Il allait pouvoir s'expliquer. J'étais là quand le téléphone a sonné, et ma mère a tout de suite mis le haut-parleur pour que je puisse écouter.

C'était difficile, cela faisait si longtemps qu'on n'avait plus entendu le son de sa voix... Il a dit qu'il allait rester à Taïwan auprès des siens et de mes grands-parents vieillissants, qu'il ne désirait plus revenir en France. Il ne nous a pas proposé de le rejoindre. J'ai ressenti une petite pointe de tristesse, un peu de nostalgie. Combien de fois m'étais-je imaginé vivre avec lui à Taïwan? À présent, je comprends que de toute façon, ma vie est ici. Je n'ai jamais vécu là-bas, ce serait trop dur de quitter mes amis. Les sentiments de mes parents l'un pour l'autre se sont dissipés, ma mère n'a plus d'attaches dans son pays d'origine. Et finalement, la petite communauté du quartier est soudée. On peut compter sur elle.

Papa nous a assuré qu'il continuerait à nous aider financièrement, à verser une pension. Il s'est adressé à moi pour me dire que, si je le souhaitais, je serais toujours le bienvenu chez lui à Taïwan. D'ailleurs, il aimerait beaucoup que je vienne pendant les grandes vacances : ce serait un beau voyage pour moi. Et j'ai dit oui. Que j'irais à Taïwan l'été prochain. Je ne lui en voulais plus. Ce sont des choses qui arrivent, les séparations.

Avec Sybille, on a fait plein de recherches au sujet de l'île au CDI. On a déniché tous les plus beaux coins qu'il me faudra absolument voir : Taipei, la capitale bien sûr, avec ses marchés de nuit où il y a tant de choses à goûter, mais aussi les impressionnantes gorges naturelles de Taroko dans les montagnes, les plages et le parc national de Kenting au sud, les temples de Tainan, la plus ancienne des villes de l'île... J'étais heureux à l'idée de découvrir enfin le pays d'où mes parents venaient, même s'ils ne seraient pas tous les deux présents à ce moment-là.

J'ai raccompagné Sybille en sortant du collège. Nous nous sommes arrêtés un peu dans le parc, pour ne pas tout de suite nous quitter. Il y avait toujours *menteur* inscrit sur le banc. Personne ne s'était donné la peine de l'effacer. Mais aujourd'hui, on ne le devinait presque plus.

– Il se met à pleuvoir, j'ai fait remarquer. Il vaut mieux que tu rentres chez toi avant d'être trempée.

– Oh, on n'a qu'à s'abriter sous le kiosque à musique.

On s'est levés, je lui ai pris la main et on a couru jusqu'à l'édifice.

Une fois dessous, Sybille m'a dit :

– Alex, tu me tiens toujours la main... Est-ce que ça veut dire que...?

Je l'ai regardée et je me suis souvenu de la première fois où elle m'avait suivi dans le parc. Non, à cette période, je n'avais pas envie qu'elle m'accompagne. Mais maintenant, je pensais très fort dans ma tête : «Oui, Sybille, j'aimerais que tu restes avec moi...»

Du même auteur,
aux éditions Syros

La Roue, coll. «Tempo», 2011

L'auteur

Née en 1984 en région parisienne, Sandrine Kao a passé les vingt premières années de sa vie en Seine-Saint-Denis avant de partir pour l'est de la France. Elle a suivi des études littéraires puis artistiques en rêvant d'être romancière, illustratrice ou pianiste. Elle est aujourd'hui un peu auteur, un peu illustratrice, un peu pianiste et toujours rêveuse. Ses origines taïwanaises et l'histoire de sa famille ont une grande influence sur son travail.